1999· 幾米作品

向左走・向右走

文・圖／幾米

總編輯／郝廣才

責任編輯／張玲玲・趙美惠

美術編輯／李燕玉

發行人／郝廣才

出版者／格林文化事業股份有限公司

編輯所／台北市新生南路二段20號6F

電話／(02)2351-7251

傳眞／(02)2351-7244

總經銷／凌域國際股份有限公司

地址／中和市中山路二段401號2樓

電話／(02)3234-9565

行政院新聞局局版北業字第1048號

ISBN／957-745-194-2（精裝）　　957-745-203-5（平裝）

1999年2月初版1刷

1999年11月7刷

定價／480元（精裝）　　400元（平裝）

獻給倩文

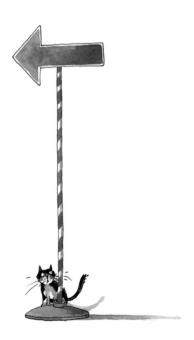

向左走・向右走

幾米作品

GRIMM PRESS

格 林 文 化

They're both convinced
that a sudden passion joined them.
Such certainty is beautiful,
but uncertainty is more beautiful still.

他們彼此深信
是瞬間迸發的熱情讓他們相遇。
這樣的確定是美麗的，
但變幻無常更為美麗。

摘譯自辛波絲卡(Wislawa Szymborska)
"Love at First Sight" 第一段

那年的冬天特別寒冷，
整個城市籠罩在陰溼的雨裡。
灰濛濛的天空，遲遲見不著陽光，
讓人感到莫名的沮喪，
常常走在街上就有一種落淚的衝動……

10月6日　　天氣晴朗。

她住在城市郊區的一棟舊公寓大樓裡，
每次出門，不管去哪裡，總是習慣性的先向左走。

他住在城市郊區的一棟舊公寓大樓裡，
每次出門，不管去哪裡，總是習慣性的先向右走。

10月15日　　陽光被不斷飄過的雲朵遮住，屋內的光線忽明忽暗。

他從不曾遇見她。

10月28日　　天氣晴。

他近來不是過得很好，
晚上偶爾會到城中的上流餐廳，
拉琴賺點外快。

11月7日　　天氣陰溼，有一種冬天來臨時，淡淡的憂鬱情緒。

不練琴時，他喜歡在外面閒晃，繞到城裡的公園去餵鴿子，常常呆坐整個下午。

11月11日　　午後，開始颳起一陣陣的冷風。

有時候他會覺得空虛無力。

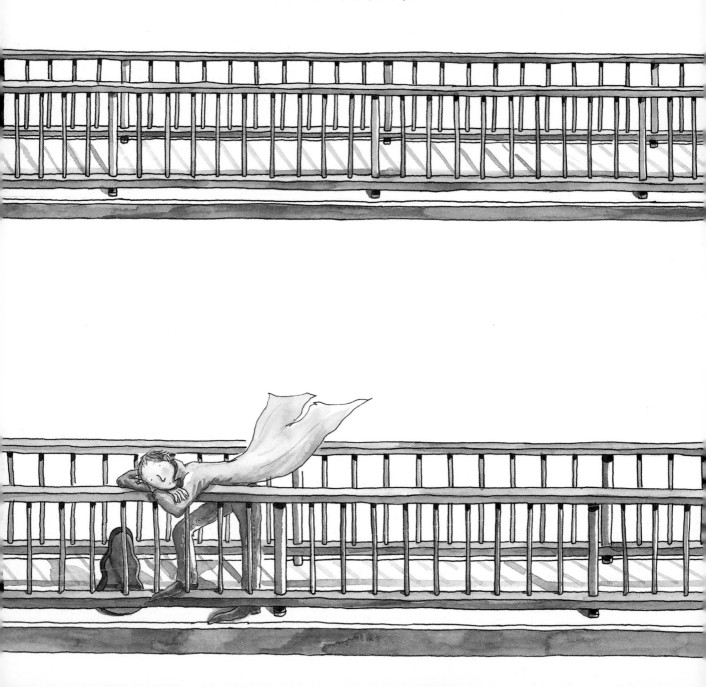

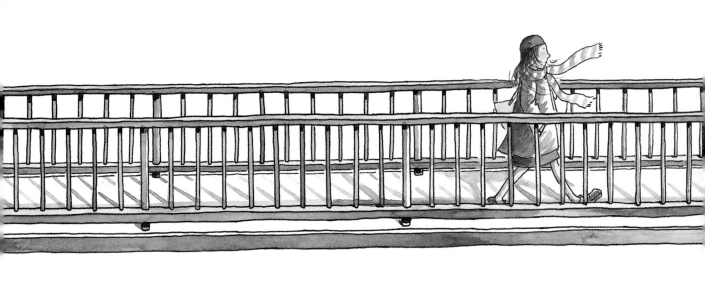

她習慣向左走，他習慣向右走，他們始終不曾相遇。

11月23日　　天色暗得很快，五點不到天就黑了。

她正在翻譯一本悲慘的小說，
讓她常常覺得世界一片灰暗。

12月2日　　厚重的雲層在遠方緩慢的移動。

不工作時，她喜歡逛到城裡喝杯咖啡，在街上散步，
看來往的行人，和路邊的野貓說說話。

12月10日　　太陽出來了，屋內卻感到特別潮濕。

有時候她會感到人生乏味。

12月17日　　天氣晴。

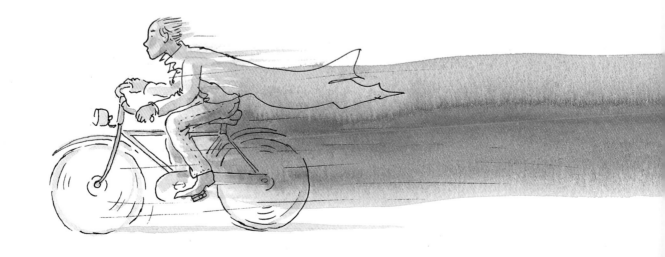

她習慣向左走，他習慣向右走，他們始終不曾相遇。

12月20日　　好像又要下雨了。

就像都市裡大多數人一樣，一輩子也不會認識，卻一直生活在一起……

但是，

人生總有許多的巧合，

兩條平行線也可能會有交會的一天。

12月22日　　太陽微微露臉，
濃密的烏雲仍堆擠在山頭。

於是，有一天，他們在公園裡的
噴水池前相遇了。

他們有如失散多年的戀人。

冬天不再那麼陰鬱。

他們渡過了一個快樂又甜蜜的下午。

黃昏時，突然下起傾盆大雨。
他們匆忙留下彼此的電話號碼，倉皇的在大雨中分手。

他，還是習慣性的向右走……

她，還是習慣性的向左走……

大雨將他們淋得溼透，但他們的心卻是溫暖的。

這一夜，兩人都興奮的失眠……

雨，滴滴答答的下了一整夜。

但是，

人生總有許多的意外，

握在手裡的風箏也會突然斷了線。

12月23日　　　寒流突然來襲，清晨的氣溫降得好低好低。

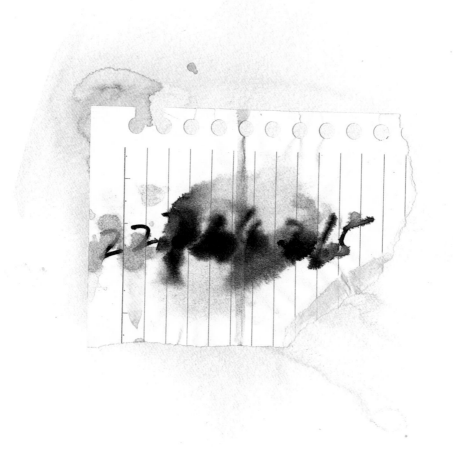

12月24日　　雨下不停的聖誕夜。

哪裡都不敢去，害怕錯過任何一通電話……

望著模糊的字跡，打了一通又一通錯誤的電話……

他們沮喪的無法入睡。

收音機裡傳來，市政廣場前倒數讀秒的歡呼聲，一年又這樣過去了。

1月12日　　天氣終於放晴，陽光短暫出現，氣溫反而下降。

都市的變化，令人錯愕。公園的噴水池，蓋起了高架道路。

2月1日　　氣溫回升，依舊感到寒冷。

他樂觀的告訴自己，也許就像電影裡的情節一樣，在下一個街頭的轉角，
或是公園旁的咖啡廳裡，就會再遇到她。

2月14日
情人節的夜晚，
疏落的星星在夜空中一閃一閃。

走在淒冷的街角，一棵掛著
七彩燈球的枯樹，突然亮了起來，
她忍不住哭了。

2月25日　　薄薄的雲，讓天空始終濛著一層灰。

她依然習慣向左走，
他依然習慣向右走。

2月28日　　路邊的杜鵑花盛開，聽說山裡的櫻花也開了。

日子一天又一天的過去，誰也沒有再遇到誰。

3月9日　　空氣中瀰漫著青草的香味，春天來了。

走在人群中，格外思念那段甜蜜卻短促的相逢。

3月23日　　天候日漸溫暖，晚上有月亮，也有星星。

在這個熟悉又陌生的城市中，
無助的尋找一個陌生又熟悉的身影。

3月30日　　雨季來了。

下雨的日子就會想起他。

她怎麼可以無聲無息的，就在這個城市消失？

4月13日　　雨季結束。遠方，鴿子在空中盤旋。

夢想飛到城市上空搜尋她的蹤跡。

喜歡一個人坐在城市的角落沈思。

5月18日　　傍晚，吹起微微的南風，豔紅的夕陽緩緩落下，夏日近了。

夜晚閃爍的燈火讓人覺得特別空虛寂寞。

6月9日　　大塊的雲朵停在空中，
　　　　　一動也不動。

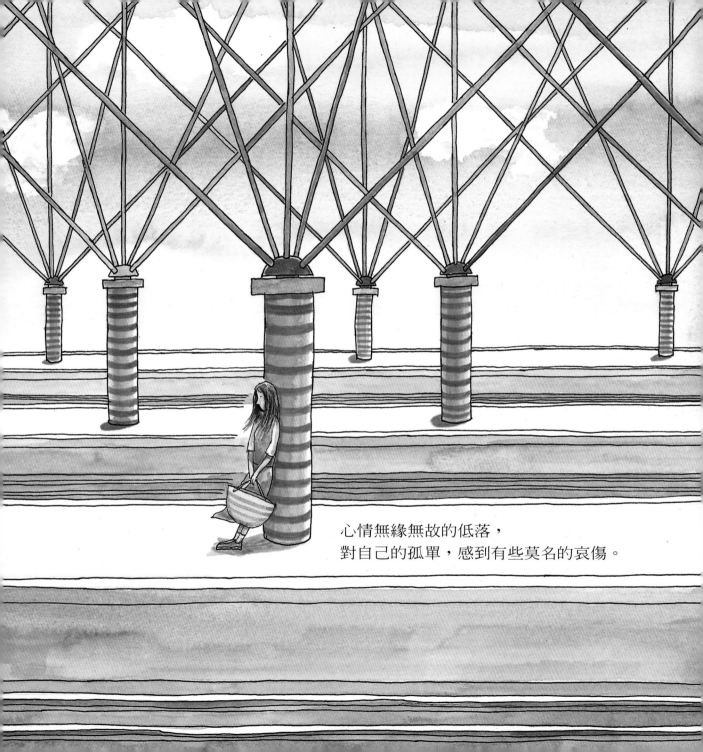

心情無緣無故的低落，
對自己的孤單，感到有些莫名的哀傷。

7月20日　　雷雨過後的夜晚，月亮特別皎潔。

迷宮般的城市，聽不到呼喚，找不到方向。

8月19日　　暴風雨的前夕，雲層快速的翻攪流動。

抱怨都市混濁的空氣，破碎的人行道，紅燈太久的紅綠燈，永遠脫班的公車。

8月31日　　正午，屋內飛進一隻蜜蜂，在透明的玻璃窗前盲目的飛撞。

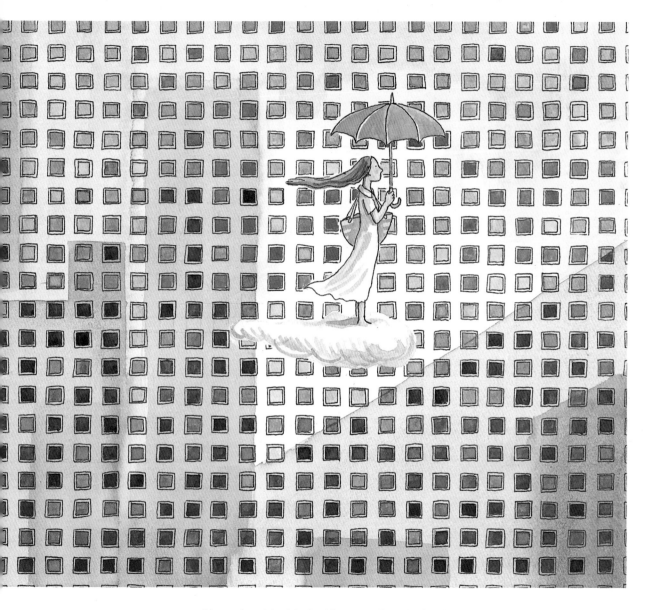

他還在這個城市嗎？還是早就離去？

9月5日　　天氣悶熱，整天都令人感到意興闌珊。

逗過同一隻黃色小花貓，餵過同一隻流浪狗，
在陽光微弱的早晨，聽到同一隻烏鴉的叫聲。

9月24日　　早晨有薄薄的霧，聽說山裡的楓葉開始轉紅。

看著同樣的窗景，聞著同樣的氣味，聽著鄰居日日彈奏的阿拉貝斯克練習曲。

10月5日　　天氣涼了，公園的葉子漸漸染成金黃色。

走過相同的樹林小徑，踩碎相同的落葉。

10月15日　　秋天的天空感覺特別開闊。一個橘色的汽球，從窗前飄過。

親過同一個小寶寶。

都知道她有一頂兩個長耳朵的綠色小呢帽⋯⋯

10月26日　　風吹過，葉子搖搖晃晃的掉下來。

對彼此的記憶，只剩下一張被雨淋濕的電話號碼。

隔壁傳來的提琴聲，聽起來好悲涼。

記得今天好像是她的生日，不知道她現在人在哪裡？

11月19日　　冬天的氣氛越來越濃厚了。

回憶日漸模糊，幾乎要懷疑那一個遇到愛情的下午，根本不曾發生。

11月30日　　午夜，清冷的月光灑落在陽臺的一角，映著藍藍的光。

從同一位郵差的手裡，接到遠方朋友的來信。

如此靠近卻又如此遙遠。

12月17日　　又是看不見太陽、星星、月亮的一天。

城市猶如沒有圍牆的囚房，令人疲憊、窒息……

12月22日　　毛毛細雨好像永遠下不停。

決定離開這個荒寒的城市。

到一個陽光燦爛的地方旅行。

12月23日　　開始飄雪，這個城市已經有好多年不曾下雪了。

他還是習慣向右走。

她還是習慣向左走。

雪，靜靜的落下……

12月24日　　大雪紛飛，遠方傳來平安夜悠揚的歌聲。

12月31日　　雪停了，氣溫回升。

市政廣場前，擠滿了等待倒數讀秒的瘋狂人潮。
午夜零時零分零秒，大家快樂的緊緊擁抱在一起。

春天終於來了。

關於作者

幾米

天蠍座，文化大學美術系設計組畢業。曾在廣告公司擔任美術指導長達12年之久。喜歡與人聊天，也喜歡創作。

他住在台北，在家工作，為報紙、雜誌、各種出版品提供它們所需要的畫面。目前全心投入自己喜歡的繪本創作。著有《微笑的魚》和《森林裡的祕密》，廣受歡迎，深獲好評。《向左走·向右走》是他1999年最新的創作。

幾米網站：http://www.grimm.com.tw/jimmy

感謝財團法人國家文藝基金會的補助

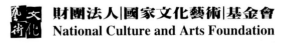
財團法人|國家文化藝術|基金會
National Culture and Arts Foundation